Élan 1

EDEXCEL

Self Study Guide

Marian Jones

OXFORD
UNIVERSITY PRESS

OXFORD
UNIVERSITY PRESS

Great Clarendon Street, Oxford OX2 6DP

Oxford University Press is a department of the University of Oxford.
It furthers the University's objective of excellence in research, scholarship,
and education by publishing worldwide in

Oxford   New York

Auckland   Cape Town   Dar es Salaam   Hong Kong   Karachi
Kuala Lumpur   Madrid   Melbourne   Mexico City   Nairobi
New Delhi   Shanghai   Taipei   Toronto

With offices in

Argentina   Austria   Brazil   Chile   Czech Republic   France   Greece
Guatemala   Hungary   Italy   Japan   South Korea   Poland   Portugal
Singapore   Switzerland   Thailand   Turkey   Ukraine   Vietnam

Oxford is a registered trade mark of Oxford University Press
in the UK and in certain other countries

British Library Cataloguing in Publication Data

Data available

ISBN 978 019 915378 7

10 9 8 7 6 5 4 3 2 1

Typeset by Thomson

Printed in Great Britain by Ashford Colour Press Ltd.

Acknowledgements

The author and publisher would like to thank Deborah Manning (editor)
and Marie-Thérèse Bourgard (language consultant).

Contents

Here's a reminder of the topics you have studied for AS Level.

Youth culture and concerns

- ▶ Music and fashion
- ▶ Technology (e.g. MP3, blogs, mobile phones, internet, games)
- ▶ Relationships (family, friendships and peer pressure)

Lifestyle: health and fitness

- ▶ Sport and exercise
- ▶ Food and diet
- ▶ Health issues (e.g. smoking, skin cancer, health services)

The world around us: travel, tourism, environmental issues, the French-speaking world

- ▶ Tourist information, travel and transport
- ▶ Weather (e.g. natural disasters, climate change)
- ▶ Pollution and recycling

Education and employment

- ▶ Education (schooling and higher education)
- ▶ Education policy and student issues
- ▶ The world of work (e.g. the changing work scene, job opportunities and unemployment)

You will be taking two examinations:

Unit 1: Spoken Expression and Response in French

The Speaking Test is worth 30% of AS (and 15% of the full A Level).
The test lasts 8–10 minutes, with 15 minutes preparation.
You are not allowed to use a dictionary.

There are two sections:

- ▶ Responding to four set questions on a stimulus card. It will be on one of the four main topic areas and you can choose which one.
- ▶ More general conversation on related topics from the same general topic area.

Unit 2: Understanding and Written Response in French

This paper is worth 70% of your AS Level (and 35% of the full A Level) and the time allowed is 2 hours and 30 minutes.

There are three sections:

- ▶ Listening and Responding
- ▶ Reading and Responding
- ▶ Writing

**Pass grades for this examination range from A down to E.
Here's an idea of what you need to be able to do.**

If you pass AS Level French with an A grade, it means you can:

▶ Clearly understand spoken language, including details and people's opinions.

▶ Work out what someone is trying to say even if they don't spell it out in detail.

▶ Clearly understand written texts, understanding both the gist and the details.

▶ Talk fluently, giving your opinions and justifying them, and using a good range of vocabulary and generally accurate pronunciation.

▶ Organise your ideas and write them up well in French.

▶ Write using a wide range of vocabulary and grammatical structures without making many mistakes.

If you pass AS Level French with an E grade, it means you:

▶ Show some understanding of spoken French, even if you have difficulties when the language is complex and miss some of the details.

▶ Can sometimes work out what someone is trying to say even if they don't give all the details.

▶ Understand straightforward written texts, although you don't always understand more difficult writing.

▶ Can talk in French, and convey basic information, perhaps a little hesitantly and relying on material you have learned by heart. There is probably some English influence on your pronunciation.

▶ Can convey information in writing, perhaps with some difficulty in organising your material and expressing it.

▶ Use a range of vocabulary and structures, but quite often you make mistakes.

Preparing for the exams

You can see from these lists that when planning your revision there are really six areas you need to practise:

Speaking

Listening

Reading

Writing

Vocabulary

Grammar

There are tips on how to prepare each area overleaf.

Speaking

▶ Take every opportunity to practise speaking French – in lessons, with the language assistant, with a friend, with anyone you know who speaks French.

▶ Take an oral question from your textbook and work out a few sentences to answer it, then record them on tape and listen to see what areas still need practice – perhaps fluency, pronunciation or good use of vocabulary and structures.

▶ Don't write everything down first. You won't have a script on the day! You can write a few key words down for reference, but definitely no full sentences.

Listening

▶ Keep listening to French, ideally every day. Use a mix of extracts you have worked on and new texts.

▶ Try listening to something for which you have the transcript. Just listen first, then listen again with the transcript and, if necessary, look up unknown words. Finally, listen again without the transcript and challenge yourself to understand everything.

▶ Watching films is excellent listening practice and watching more than once is even better! Try watching with the subtitles and then without. If you find this hard going, just re-watch a short extract.

▶ French radio and TV programmes are useful, but can also be difficult. Record an extract and listen or watch it more than once. You will find it gets easier.

▶ Make sure you do some exam listening practice too!

Reading

▶ Keep reading a mix of things you read once quickly, such as a magazine, and things where you work hard at a short passage and try to understand everything. Texts from your textbook are useful for this.

▶ It's useful to note new vocabulary from your reading, but don't make it such hard work that you give up. Note, say, three new words from each text.

▶ Try a 'dual-language' reading book, where you get the original French on one page and an English translation on the opposite one. This is an excellent way to practise reading longer texts without losing heart!

▶ Search on the internet for articles in French on any topic which interests you.

Writing

▶ Practise planning essay questions. Jot down ideas for each paragraph – in French! – along with key vocabulary.

▶ Take a key paragraph from a piece of marked work, write some English prompts to remind you of its content and then write it out from memory. Concentrate especially on sections where the teacher suggested improvements.

▶ Look carefully at marked work and identify what grammar errors you are making. Then check them up in a grammar book and try some practice exercises.

▶ Make sure you are learning key vocabulary for each topic area, so that whichever subject comes up you will have some impressive words to use.

Vocabulary

▶ Learn lists of words regularly and build in time to go back over words you learned a week or two ago. Reinforcement makes them stick!

▶ Choose a system of recording new words which works for you. It could be paper lists, small sections on individual cards, recording the words and their English meanings on tape, making posters to stick on your bedroom wall ... what's important is that you are noting the words and going over them regularly!

▶ You were probably encouraged to use a good range of vocabulary in the essays you wrote during the year. Go back over them, highlighting good words and phrases and writing the English in the margin, then use this to test yourself. Words are often easier to learn in context.

Grammar

▶ Keep doing practice exercises in areas where you know you are weak.

▶ Use reading texts to practise thinking grammatically. For example, highlight a selection of adjectives, then write out the English for the phrases in which they appear. Test yourself by reproducing the French phrases accurately, complete with all the correct agreements!

▶ Keep learning from your verb tables until you know all the forms of each tense of regular verbs and the most common irregular verbs. Test yourself using a die. 1 = *je*, 2 = *tu*, 3 = *il/elle*, 4 = *nous*, 5 = *vous*, 6 = *ils/elles*. Use a verb list: choose an infinitive and a tense at random, throw the die and say the correct form of the verb. Practise until you can do it without hesitation.

The Speaking Test: what you need to know

The test has two parts: answering four set questions on a stimulus card and more conversation on the same general topic area. The two sections together will take 8–10 minutes.

Discussing the stimulus card questions

Before the speaking test, you choose which of the four general topic areas you wish to talk about: youth culture, lifestyle, the world around us or education and employment. You will have 15 minutes to prepare answers to four questions on a stimulus card on that topic area – two on the content of the card and two asking for your opinion or reaction.

Conversation on the general topic area

The conversation will then move on to other aspects of the same general topic area. If for example you chose 'Lifestyle' as your general topic area and your stimulus card is on the benefits of sport and exercise, then the second part of the conversation is likely to move on to other aspects of health and fitness, such as food and diet, smoking, or teenage health issues.

> Spend some of the preparation time carefully studying the stimulus card and making sure you have noted all the details. Then prepare as full an answer as you can for each of the first two questions. The last two questions ask for reasons, opinions, ideas for or against something. Try to predict what you could be asked, then to come up with two or three ideas, not just one!

The speaking test is marked on four aspects:

- ▶ **accuracy**. Aim to be accurate, even when using more complex language and try to make your pronunciation and intonation convincingly 'French'.

- ▶ **lexis**. Try to use a good variety of words and structures, including more complex ones.

- ▶ **response**. Try to answer fluently and spontaneously and to develop the conversation, rather than just waiting for the examiner to take the lead all the time.

- ▶ **understanding**. Give full and detailed answers to the questions on the stimulus card. In the general conversation, try to have lots of ideas and opinions in order to show that you understand the general topic area really well.

Card A   **Youth culture and concerns (relationships)**
               Sample Stimulus

Je travaille comme jeune fille au pair pour le petit Frédéric qui a six ans.
Je m'occupe de lui le matin et je l'emmène à l'école. Le soir, je reste avec
lui jusqu'à 21.00 heures, quand ses parents rentrent. Mes employeurs sont
chefs d'entreprise et sont tellement occupés qu'ils ne sont presque pas
à la maison pendant la semaine. Dans les statistiques et les journaux
on parle de plus en plus souvent d'enfants élevés dans une famille
monoparentale, et j'imagine que certains enfants dans cette situation
doivent passer beaucoup de temps à la garderie, parce que leur mère
ou père travaille. Mais ce ne sont pas uniquement ces enfants-là qui ne
voient pas très souvent leurs parents.

Questions

Décrivez la vie familiale de Frédéric.

Quelle comparaison fait-on ici?

Quels sont peut-être les problèmes pour un enfant dont les parents sont
très occupés?

Croyez-vous que la famille soit plus importante que les amis?

The last two questions ask you to think of ideas and opinions. To answer
such a question well, try to have several ideas ready: three is a good
number! For example, to answer the third question, you could say:

*Un enfant comme Frédéric, qui ne passe pas beaucoup de temps avec ses
parents, pourrait manquer de confiance en lui et croire qu' il n' est pas très
important. J'imagine qu'il s'ennuie quelquefois parce qu'il est souvent seul.
Et je pense que quand il sera grand il n'aura pas de bons rapports avec ses
parents.*

Read and listen to this student's answers to the four questions from the stimulus card on page 9. (CD Track 1)

Décrivez la vie familiale de Frédéric.

Frédéric vit avec ses parents, mais il ne les voit pas souvent, parce qu'ils sont chefs d'entreprise et ils sont très occupés. C'est une jeune fille au pair qui s'occupe de lui. J'imagine qu'il voit ses parents très vite le matin, avant qu'ils partent au travail. La jeune fille au pair l'emmène à l'école, puis s'occupe de lui le soir et je crois qu'il se couche sans revoir ses parents. Il passe peut-être plus de temps avec ses parents le week-end.

Quelle comparaison fait-on ici?

On parle des enfants qui ne voient pas beaucoup leurs parents. D'un côté, on cite les enfants des familles monoparentales, où le père ou la mère est obligé de travailler et de laisser ses enfants dans une garderie. D'un autre côté il y a des enfants comme Frédéric, dont les parents choisissent tous les deux de travailler de longues heures et qui doivent employer une jeune fille au pair pour s'occuper de leurs enfants.

Quels sont peut-être les problèmes pour un enfant dont les parents sont très occupés?

J'imagine que ses parents lui manquent et qu'il aimerait les voir plus souvent. Il est peut-être malheureux. En plus, quand les parents rentrent ils sont peut-être fatigués et ne veulent pas jouer avec leur fils. C'est dommage, je trouve. Mais en revanche, cet enfant apprendra l'indépendance.

Croyez-vous que la famille soit plus importante que les amis?

Ça dépend. Pour moi, oui, parce que j'ai la chance de vivre dans une famille heureuse. Mais j'ai des amis qui ne s'entendent pas très bien avec leurs parents et pour qui les copains jouent un rôle important. Ils discutent de leurs problèmes plutôt avec un ami parce qu'ils croient que leurs parents ne vont pas comprendre.

> Now the examiner will ask other questions on the same general topic area, perhaps about other aspects of relationships like friendship or peer pressure, or a different sub-topic from the same section, such as music, fashion, technology or drink, drugs and sex. Whichever topic area you choose, revise all the sub-topics thoroughly!

Card B   **Lifestyle: health and fitness**
Sample Stimulus

Attention jeunes athlètes!

Comment vous préparer pour faire de votre mieux?

Voici deux conseils de base:

L'alimentation est un élément fondamental dans la préparation physique des sportifs. Votre régime quotidien doit nécessairement contenir des aliments de chaque groupe – fruits et légumes, céréales, produits laitiers et fromages, viandes et poissons. Sans oublier l'eau, bien sûr – buvez un minimum de 1,5 litre par jour. Faites attention aux fluctuations de poids car elles peuvent également altérer votre masse musculaire.

Préparez-vous bien avant tout effort physique. Vous devez absolument respecter les différentes phases de l'échauffement, conçu pour faire travailler chaque partie du corps. De la même manière, respectez toujours à la lettre votre plan d'entraînement, notamment les phases de repos.

N'hésitez pas à demander conseil aux professionnels de votre fédération ou à votre entraîneur.

Questions

Quels conseils sont donnés aux jeunes athlètes concernant leur régime alimentaire?

Comment devraient-ils se préparer sur le plan physique?

Est-ce que la plupart des jeunes font assez d'exercice?

Faut-il absolument aimer le sport pour rester en bonne santé?

Prepare answers to the first two questions which give all the relevant detail, but which are in your own words. For the first question you need to get several ideas across: eating foods from each group, drinking enough water and not letting your weight fluctuate. You also need to explain these things without just reading the text out. The basis of a good answer would be: 'On doit manger chaque groupe d'aliments, par exemple …   Il est très important de boire assez d'eau, c'est-à-dire … En plus, il ne faut pas prendre et perdre du poids constamment, parce que cela …'

The general conversation

Ideas for the general conversation

You will be asked questions on a number of aspects of the general topic area you choose. These pages suggest sample questions for each section. Practise answering the ones for the section you plan to choose, then try thinking up more questions of your own. That's a good way to revise the material you have covered and trying to predict what you might be asked means you can have some answers ready.

Youth culture and concerns
(music, fashion, technology, relationships, drink, drugs and sex)

▶ Trouvez-vous que les téléphones portables sont essentiels?
▶ Est-ce que l'internet est assez bien surveillé?
▶ Quelle sorte de musique préférez-vous et pourquoi?
▶ Faut-il aimer le même genre de musique que vos amis?
▶ Est-ce que vos vêtements font partie de votre personnalité?
▶ Quel rôle jouent les parents dans la vie d'un ado de 17 ou 18 ans?
▶ Préféreriez-vous être enfant unique ou avoir des frères et sœurs? Pourquoi?
▶ Comment réduire les effets sur les enfants si leurs parents divorcent?
▶ Quels sont les avantages d'être célibataire?
▶ Pourquoi ne pas défendre toute publicité pour l'alcool et le tabac?

Lifestyle: health and fitness
(sport and exercise, food and diet, health issues, e.g. smoking, skin cancer)

▶ Est-ce que les sports traditionnels sont démodés aujourd'hui?
▶ Pourquoi faire du sport?
▶ Comment rester en forme si on n'aime pas le sport?
▶ Que comprenez-vous par le terme 'manger équilibré'?
▶ Quelles peuvent être les causes des troubles alimentaires?
▶ Comment combattre l'obésité chez les enfants d'aujourd'hui?
▶ Quel est le plus grand danger pour les ados – l'alcool, le tabac ou la drogue?
▶ Quelles activités quotidiennes présentent le plus de risques pour la santé?
▶ Les jeunes savent-ils boire de l'alcool de façon raisonnable?
▶ Devrait-on avoir le droit de fumer n'importe où?

Remember that the examiner will respond to what you say, so be careful to introduce ideas you are happy to talk about! Here are two possible ways to begin answering the same question: Quelles activités quotidiennes présentent le plus de risques pour la santé?

▶ Le tabagisme, je crois, parce que si on fume, on risque d'avoir des problèmes, par exemple, …
▶ Ce qui est important pour moi, c'est de manger equilibré. J'essaie surtout, de …
▶ Choose the one where you know you have plenty to say.

The world around us
(tourism, travel and transport, weather, e.g. natural disasters, climate change, pollution and recycling)

- ▶ Quelle est l'importance des vacances pour vous?
- ▶ Y a-t-il des points négatifs concernant le tourisme?
- ▶ Qu'est-ce qu'on peut faire pendant les vacances à part voyager?
- ▶ Pensez-vous prendre une année sabbatique pour voyager? Pourquoi?
- ▶ Êtes-vous concerné par les effets des voyages sur l'environnement?
- ▶ Croyez-vous que le temps change à cause du réchauffement de la planète?
- ▶ Quel aspect de la pollution vous inquiète le plus?
- ▶ Fait-on assez de recyclage dans votre école?
- ▶ Que faites-vous personnellement pour l'environnement?
- ▶ Êtes-vous optimiste ou pessimiste en ce qui concerne l'avenir de notre planète?

If you make a general statement, back it up with examples. For example, you are discussing the benefits of travel and you say 'On peut apprendre beaucoup de choses en voyageant.' This has more weight if you follow it up by saying 'Par exemple, on peut faire la connaissance d'autres cultures, apprendre une nouvelle langue et faire des comparaisons entre les mœurs d'un autre pays et ceux de chez soi'.

Education and employment
(schooling, higher education, education policy, student issues, work and unemployment)

- ▶ Pourquoi rester à l'école jusqu'à l'âge de 18 ans?
- ▶ Êtes-vous content(e) de ce que vous avez appris à l'école?
- ▶ Quelles sont les qualités d'un bon professeur?
- ▶ Pour vous, est-il important d'aller à l'université? Pourquoi?
- ▶ Le gouvernement a-t-il raison d'encourager de plus en plus de jeunes à faire des études supérieures?
- ▶ Vous paraît-il juste que les étudiants soient obligés de financer eux-mêmes leurs études?
- ▶ Comment se faire embaucher?
- ▶ Quels sont les effets d'un taux de chômage élevé?
- ▶ Quel est l'âge idéal pour prendre sa retraite?

Take the lead in the discussion on occasions. The examiner who asks you the last question about an ideal retirement age is not expecting you simply to come up with a number. You need to show that you have really thought about this question. You could start your answer by saying 'Pour ceux qui ont travaillé dur et qui voudraient passer le reste de leur vie à faire autre chose, j'imagine que ce serait bien de prendre sa retraite à 55 ou 60 ans. Mais pour d'autres, qui sont passionnés par leur travail, …'

The Listening, Reading and Writing paper

You have two hours and 30 minutes and can plan your time as you wish, except that you must finish the Listening section within the first 45 minutes.

Section A

Listening (20 marks)

There will be four passages of French to listen to and a variety of question types. Some will be non-verbal, such as multiple choice, box-ticking or a gapped passage with a box of words to choose from. There will also be some short-answer questions in French.

Section B

Reading (20 marks)

There will be three or four passages of French to read, with a variety of types of question. Some will be non-verbal responses, such as filling information into a grid, and others will require answering questions in French and answering questions in English.

Section C

Writing (30 marks)

There will be a stimulus in French – usually a short piece of writing – and you will be asked to respond to it. There will be a set of four to six bullet points giving you the information you are asked to convey and you will have to write to a strict word limit of between 140 and 160 words.

The key ways to prepare are by:

▶ learning key vocabulary for each topic area.

▶ revising the main grammar points.

▶ doing plenty of listening practice to keep your ear 'tuned in' to French.

▶ practising writing pieces of 140–160 words in about an hour.

▶ working through the exam-type questions and tips on the following pages.

The Listening, Reading and Writing paper

Écoutez cet extrait d'une interview avec une actrice. Choisissez la bonne réponse et écrivez la lettre dans la case. (CD Track 2)

(a) Cécile vient de jouer

    A son premier rôle professionnel

    B dans un film

    C dans une pièce de théâtre

(b) Pour elle, faire du cinéma veut dire

    A l'anonymat

    B la célébrité

    C la richesse

(c) Si on lui demande son autographe, elle

    A le donne

    B est embêtée

    C le refuse

Listen carefully and look out for traps! For question **a**, you hear the words 'la première fois', but it would be wrong to choose answer **A**, because Cécile goes on to explain that this is her first film, but that she has also worked in theatre. For question **b**, although Cécile uses the word 'anonyme', it's not the answer because she is referring to theatre, not cinema. And for **c**, although you hear the word 'embêtée', it's not the answer because it's used negatively on the recording: 'je ne suis pas embêtée.'When you've marked the exercise, listen again while reading the transcript.

◄ Bonjour Cécile et bienvenue. Vous venez de tourner ce film dont tout le monde parle, mais je crois que c'est la première fois que vous faites du cinéma?

◄ Oui, c'est ça. J'ai déjà en plusieurs rôles au théâtre, mais ceci est mon premier film.

◄ Et vous trouvez que c'est très différent?

◄ Ah oui. Il me semble que les médias s'intéressent beaucoup plus au cinéma qu'au théâtre. J'ai fait tant d'interviews, on parle du film dans tous les journaux et on me reconnaît beaucoup plus dans la rue. Au théâtre, c'est plus anonyme, je dirais.

◄ Et cela vous gêne, d'être reconnue partout?

◄ Je pense que ça fait partie du rôle et je ne suis pas embêtée si on me parle au restaurant pour me demander mon autographe. Mais j'ai acheté un appartement très privé, donc je peux me retirer quand je veux et ça aussi, c'est important.

Écoutez ces jeunes qui parlent des langues qu'ils apprennent. Puis cochez les quatre phrases qui comespondent à ce que vous avez entendu. (CD Track 3)

a Je parle déjà deux langues, mais je trouve la troisième très difficile.

b Je n'oublie jamais d'aller à mes cours!

c Je parle déjà bien cette langue, mais je continue à l'apprendre.

d J'apprends cette langue pour mieux profiter de mes vacances.

e Mon prof n'est pas très bon, donc j'abandonne les cours.

f Mon frère m'a enseigné cette langue.

g J'espère étudier cette langue à l'université.

h Je voulais travailler dans un pays étranger, donc j' ai fait l'effort d'apprendre la langue avant de partir.

You need to listen very carefully and be aware that there might be some traps to catch you out. Sometimes the same word is used on the recording and in the phrase, but the meaning is the opposite. You hear 'oublié' and see it written in phrase **b**, but the phrase says the person never forgets to go, whereas on the recording they have forgotten a lesson. Phrase **f** looks likely because it mentions a brother teaching his sibling a language, but in fact it is not the same as the recording, because the subject is reversed. The speaker says he taught his brother Swahili, but the writer's case is the opposite: his brother taught him!

Vicky: Moi, tous les lundis j'ai cours de grec, mais hier je n'y suis pas allée! J'ai complètement oublié!

Adèle: J'adore les langues et je parle assez bien l'allemand et l'anglais, mais j'ai eu des difficultés avec le japonais. C'est une langue très compliquée, je trouve.

Samuel: J'ai une excellente prof d'italien et j'ai déjà fait des progrès. Mais je continue les cours, parce que je voudrais le parler encore mieux.

Charles: Mon frère part au Kenya, où il va enseigner dans une école primaire. Moi aussi, j'ai fait un tel stage et donc quand il essaie d'apprendre le swahili, je peux l'aider.

Jules: Je suis invité au Maroc pour tout un mois cet été. Je suis en train d'apprendre quelques mots d'arabe avant de partir.

The Listening, Reading and Writing paper

Écoutez le reportage, puis écrivez le mot de la liste qui convient dans chaque blanc. Attention, il y a cinq mots de trop! Utilisez chaque mot une fois seulement. (CD Track 4)

devenir	droit	excellent	veulent
liberté	mauvais	refusents	accepter
indépendance	bonnes	meilleur	indépendant

Théo se croit (1) _____ Ses

(2) _____ notes à l'école font confiance à ses

parents et il a un peu de liberté parce qu'il voyage souvent le week-end

avec son équipe de basket. Pour lui, la liberté c'est le

(3) _____ moyen de

(4) _____ adulte.

Juliette se plaint qu'elle n'a pas le (5) _____ de

sortir en semaine et qu'elle doit rentrer assez tôt le week-end. Ses parents

ne la permettent pas d'être indépendante et

(6) _____ de la traiter comme adulte. Elle

voudrait plus de (7) _____

> Use your knowledge of grammar to help you. Gaps 1 and 2 are both adjectives, but they will need different agreements. For gap 4 you need an infinitive to follow 'de'. Think too about what makes sense. Juliette tells us on the recording and also in the text that she would like more independence, so what is likely to fit into gap 7: 'She would like more … '?

► Êtes-vous indépendant? Voici la question que nous avons posée à deux jeunes.
Écoutez leurs réponses. D'abord Théo:

► Oui, plutôt. J'ai de bonnes notes, alors mes parents ne me posent pas vraiment de questions sur mes études. Je voyage chaque week-end avec mon équipe de basket. Cela me permet d'être indépendant. Un peu de liberté, c'est le meilleur moyen d'apprendre à devenir adulte.

► Et toi, Juliette?

► Non! Je n'ai pas le droit de sortir en semaine et le week-end je dois toujours rentrer à la maison avant minuit. Je crois que mes parents devraient me permettre d'être plus indépendante. J'ai presque dix-huit ans et mes parents refusent encore de me traiter comme une adulte. Je commence à trouver ça agaçant.

Écoutez les deux opinions sur le dopage dans le sport et répondez aux questions en français. (CD Track 5)

1a Comment la plupart des sportifs peuvent-ils vivre de leur sport? (1)

....

1b Pourquoi donc sont-ils tentés par le dopage? (2)

....

2a Quelles mesures sont prises contre les dopeurs? (2)

....

2b Quelle action ont pris certains grands sponsors? (2)

....

2c Pourquoi ont-ils fait cela? (1)

....

> If the French on the recording is complex, try to get the gist of it, then simplify it to form the answer. The first speaker uses about 20 words to explain that most athletes rely on sponsorship to get by, but you can write simply: 'Ils ont des sponsors'.

> Be careful to change the tense if necessary. The second speaker explains in the immediate future that 'les sponsors vont suivre' public opinion. But question 2c requires a past tense answer, so you need to manipulate the sentence and write something like 'Parce qu'ils voulaient suivre l'opinion publique'. Alternatively, you could use a 'tense-free' expression like 'Pour suivre l'opinion publique'.

1   Je ne vois pas comment on peut résoudre le problème du dopage dans le sport. La majorité des sportifs ont besoin d'un sponsor pour pouvoir bien gagner leur vie et pour garder son sponsor il faut rester le meilleur. Donc il faut réussir les compétitions, les matchs, les tournois, et c'est difficile ... à moins d'être dopé. Il n'est donc pas surprenant que l'Agence mondiale contre le dopage constate de plus en plus de dopage chaque année.

2   Je ne suis pas d'accord. D'abord il y a le risque de contrôles-surprise, des contrôles sanguins et tout ça. En plus, ce n'est pas glorieux de s'être dopé. Plusieurs grands sponsors ont déjà décidé de ne plus sponsoriser les gens qui se dopent. L'opinion publique est contre le dopage et les sponsors vont suivre. Je ne crois pas du tout que le dopage des sportifs soit inévitable.

Lisez ces interviews avec trois jeunes qui parlent de la publicité. Pour chaque phrase, écrivez B (Benoît), F (Faustine) ou L (Louis) pour indiquer la personne qui parle.

a <u>Je ne fais pas beaucoup attention à</u> la publicité. [_____]

b La publicité peut être <u>utile.</u> [_____]

c <u>Il n'y a pas de publicités que j'admire.</u> [_____]

d <u>J'admets que</u> j'aime quelquefois les pubs. [_____]

e Quelquefois <u>je me fâche</u> à cause de la publicité. [_____]

f <u>J'admire tout le travail qu'on a fait</u>
pour produire certaines publicités. [_____]

Tu aimes les pubs ?

On se plaint souvent de la quantité de publicité qu'on trouve dans les médias. J'en ai parlé avec trois étudiants de l'université de Nantes.

▶ Alors, Benoît, trouvez-vous qu'il y a trop de publicité de nos jours?

▶ Ça dépend naturellement de son point de vue. Des fois, au cinéma, je vois une annonce pour un film dont je ne sais pas grand-chose et qui a l' air intéressant et je décide d' aller le voir. C'est avantageux, quand même. D'un autre côté, quand il s'agit sans pause de bonbons et de glaces, j'enrage.

▶ Et pour vous, Faustine. La publicité vous intéresse?

▶ Ben, je trouve que c'est très facile d'être contre toute publicité, mais je dois avouer que j'y trouve un certain intérêt. Il y a certaines pubs qui sont des œuvres artistiques, avec leur sens de l'humour et l' attention qu'on prête à chaque petit détail – le slogan, la musique, les couleurs.

▶ Louis, vous êtes d 'accord?

▶ Moi, je réussis à éviter la publicité ! Je n 'ai pas beaucoup de patience avec la télévision, parce que je trouve que c'est barbant quand on regarde une émission qu'on aime, d 'avoir toujours ces interminables publicités. Je n' ai jamais vu une publicité que j 'ai trouvée intéressante.

Use your knowledge of synonyms to help you answer this sort of question. Often a word in the question is a synonym of a word in the text and realising this helps you get the right answer. When you have done the exercise, find the words in the text which mean more or less the same as the parts which are underlined in the questions.

Read this report on mobile phones and answer the questions in English.

a Why do young children like to have their own mobile phones? (*2 marks*)

....

....

b Why might parents be against this? (*2 marks*)

....

....

c What advantages might there be if parents agree to children having a mobile? (*4 marks*)

....

....

Trop jeune pour un portable?

Même les moins de dix ans veulent tous leur propre portable, surtout pour "faire grand" et pour rester en contact avec leurs amis à toute heure. Mais, pas tous les parents sont d'accord, soit parce qu'ils craignent les risques pour la santé, soit tout simplement parce qu'un portable est une dépense supplémentaire et ils ont peur que leurs enfants en perdent plusieurs avant l'âge de responsabilité. Mais n'oublions pas les avantages: si on laisse son enfant sortir seul, peut-être pour se rendre chez un copain, on sait qu'il ou elle peut toujours téléphoner en cas de difficulté. Et un enfant qui a un portable se sert beaucoup moins du téléphone de maison – un plus, si on veut téléphoner soi-même ou si on attend un appel important!

Use the marks allocated per question as a guide to make sure you give **all** the **relevant** detail. Questions **a** and **b** have two obvious answers each. Question **c** also has two main answers, but the second one has extra detail which you will need to convey in order to get all four marks. Remember too that you need to give the exact answers from the text and not be tempted to write your own ideas on any of these matters!

Lisez le texte, puis répondez aux questions en français.

De récentes études ont montré que la consommation de boissons gazeuses (surtout les colas) peut provoquer un risque accru de fracture, surtout chez les jeunes dont les os sont encore en train de se développer. On soupçonne les phosphates présents dans ce type de boisson d'être responsables d'une fragilisation des os, en nuisant à l'absorption ou à l'utilisation du calcium. Plusieurs facteurs sont à considérer dans cette association:

▶ la caféine dans les colas favorise la perte de calcium dans l'urine.

▶ la surconsommation de boissons gazeuses mène souvent à une consommation moins forte de lait, une excellente source de calcium.

▶ les mauvaises habitudes alimentaires sont souvent accompagnées par un manque d'activité physique, ce qui peut aussi nuire aux os.

Thème peu important? Il faut noter que la moitié des Canadiens de 11 à 15 ans consomment tous les jours des boissons gazeuses.

(a) Que font les jeunes qui leur donne un plus grand risque de fracture des os? ....

....

(b) Quel effet nuisible ont les phosphates dans ces boissons?

....

(c) Nommez deux habitudes typiques chez ceux qui consomment beaucoup de boissons gazeuses qui sont eux aussi nuisibles à la santé. ....

....

This type of question usually requires you to manipulate the language of the text. The easiest way to answer question **a** is to take the noun 'la consommation' and turn it into a verb: 'ils consomment …' . Question **b** can be answered by taking 'favorise' from the text and making it plural to follow 'ils …'. The phrases 'une consommation moins forte de lait' and 'un manque d'activité physique' give you the answers for question **c**, but you will have to manipulate them. Think of a verb for each (perhaps 'consommer' or 'boire' and 'faire') and start your answer with ' Ils …'. It's useful to collect vocabulary in 'families' – verbs, adjectives, nouns with the same root – to help you manipulate the language of a text.

The Writing Question

Here is a sample writing question. See the notes on page 23 for advice on how to tackle this kind of question well.

Pour une fois, on annonce une bonne nouvelle: les Français consomment moins de cigarettes. Les jeunes aussi. Par comparaison avec il y a cinq ans, il y a deux fois moins de fumeurs chez les 12–19 ans dans les collèges et lycées de Paris. Dans toute la France les lycéens se mobilisent avec le concours 'Action Non Fumeurs'.

Comme chaque année, le 31 mai est la Journée mondiale Sans Tabac. Dans le monde, il y a encore du travail: 4,9 millions de personnes meurent chaque année à cause du tabac. En France, on a déclaré la guerre au tabac qui tue 66 000 personnes par an.

31 MAI

DÉFENSE DE FUMER

Vous avez décidé d'organiser une journée d'action dans votre lycée le 31 mai. Écrivez au proviseur pour lui demander la permission et lui expliquer votre proposition. Écrivez un minimum de 140 mots et un maximum de 160 mots. Vous devez mentionner les points suivants:

▶ ce que vous proposez, y compris la date et les heures de la journée d'action
▶ pourquoi vous avez décidé d'agir
▶ les activités que vous allez organiser
▶ comment vous espérez faire de la publicité
▶ comment le proviseur et les profs pourront vous aider.

> The questions will always follow the same pattern: a stimulus piece to read and a task requiring you to write a response to it, following a set of bullet points.

The Listening, Reading and Writing paper

Tackling the Writing Question well

▶ Read the task carefully. Note carefully which format it is asking you to write in. An essay requires an introduction, a series of paragraphs making points relevant to the title and a conclusion. A letter needs to begin and end appropriately – see below. A report, perhaps of a visit you have been on, or a project you worked on, should be written in the first person. And a newspaper article will need an appropriate, eye-catching title and perhaps some sub-headings.

▶ A formal letter should begin 'Monsieur' (Dear Sir) or 'Madame' or, less formally if you know the name of the person you are writing to, 'Cher Monsieur XXX'. An informal letter will begin 'Cher Marc' or 'Chère Lucie.' Appropriate endings are 'Veuillez agréer l'expression de mes sentiments bien distingués' (formal) and 'Cordialement' or 'Bises', 'Bisous' (informal).

▶ Make sure you work systematically through the bullet points. For the question on page 22, do not write a general piece on why you are against smoking. Write a letter, addressed to the Head of your school. Begin by explaining that you want to run an anti-smoking Day of Action and give the proposed date and times. That's the first bullet point covered, so move on to the next.

The marks for the writing section are given for two different aspects, which are of equal worth:

▶ 15 marks for content and response
▶ 15 marks for quality of language

The content and response marks are for producing the piece of writing in the correct format and for including all the information you are asked to give. The quality of language marks are awarded for a balance of good use of language and accuracy. You need to use a good range of vocabulary and structures, especially some of the more complex structures you have learned at AS Level. But it's important to stick to language you are confident about, so you don't lose marks for inaccuracy.

The best advice, if you are to do all this well, can be summed up in three words: PLAN – WRITE – CHECK. Don't start writing without having planned out your points and do leave enough time to check through your work for errors.

Grammar Summary

> Remember that there is grammar practice on the grammar points listed below for you to work through on the CD which comes with this book. There is more practice in the *Élan* Student's Book and in the *Élan* Grammar Workbook.

1 Nouns

1.1 Gender and plurals of nouns

Some nouns have the gender you expect (*acteur/actrice*) and there are 'typical' masculine and feminine endings which make it easier to guess the gender of a noun.

Form most plurals by adding an -*s*, but beware of exceptions such as words ending in -*s*, -*x* or -*z*, which usually stay the same and other typical exceptions such as *animal/animaux* and *jeu/jeux*.

(1) **Give the gender of:** *alcoolisme, obésité, niveau, tolérance, mariage, certitude.*
Give the plural of: *journal, portable, prix, émission, conflit.*

1.2 *de* + noun

This construction translates 'some'.
de + *le* → **du**   *de* + *la* →   **de la**
de + *l'* → **de l'**   *de* + *les* → **des**

1.3 ce

Ce means 'this' and changes according to number and gender: **ce** *garçon*, **cet** *événement*, **cette** *difficulté*, **ces** *problèmes*.

1.4 *tout*

Tout means 'all' and changes according to number and gender: **tout** *le temps*, **toute** *la classe*, **tous** *les films*, **toutes** *les pièces*.

(2) **Translate into French: this job, those candidates, some effort, some tourism, all the ideas.**

2 Adjectives

2.1 Masculine, feminine and plural adjectives

Adjectives agree in number and gender with the noun they describe: *un bon moment, de bons moments*.
Most adjectives add an -*e* for the feminine version, but there are common exceptions: *premier/première, heureux/heureuse, créatif/créative, public/publique*. Most add an -*s* for the plural, but exceptions include *normal/normaux* and *beau/beaux*.

Irregular adjectives include *beau, nouveau, long, bon, fou, frais, gros* and *vieux*.

Adjectives usually go after the noun they describe, but certain adjectives go before it; examples include *grand, petit, bon, mauvais, joli, gros* and *excellent*.

(3) Translate into French: **an interesting programme, some good ideas, a fascinating book, bad publicity, an ambitious young actress.**

2.2 Possessive adjectives

	m.	f.	plural
my	*mon*	*ma*	*mes*
your	*ton*	*ta*	*tes*
his/her	*son*	*sa*	*ses*
our	*notre*	*notre*	*nos*
your	*votre*	*votre*	*vos*
their	*leur*	*leur*	*leurs*

(4) Give the right possessive adjective: **(my)** *sport préféré*, **(his)** *baskets*, **(our)** *équipe*, **(your)** *but*, **(their)** *victoire*.

3 Adverbs

Adverbs are used to say how something is done: easily, quietly, etc.

To form an adverb in French, you usually add *-ment* to the feminine form of the adjective.

normal ——► *normale* ——► ***normalement*** = normally
heureux ——► *heureuse* ——► ***heureusement*** = happily

Exceptions include adjectives ending in *-ent* or *-ant* which follow the pattern *constant/**constamment*** and those which change the final *-e* to *-é* such as *précis/**précisément*** and *énorme/**énormément.***

Irregulars include *très, assez, trop, beaucoup* and *bien*.

4 Comparisons

Use *plus, moins* or *aussi* to compare two things.

*Julien est **plus sportif** que Florence.*
*Elle joue **moins bien** que lui.*
*Mais elle joue **aussi bien** que sa sœur.*

The exceptions are *meilleur* (better) and *mauvais/pire* (worse).

Use *le plus* or *le moins* to form a superlative.

*C'est la destination de vacances **la plus populaire** chez les Français.*
Le mieux (the best) and *le pire* (the worst) are exceptions.

*Elle fait **le mieux** la cuisine.*

(5) Translate into French: she understands easily; he is the best footballer; does she normally speak so fast? are boys sportier than girls?

5 Prepositions

Use *à* to talk about time (*à trois heures*), distance (*à trois kilomètres d'ici*) and in phrases like *à Noël, à vélo* and *à pied*.

Use *de* to mean 'from' (*une lettre de sa mère*), to denote possession (*la voiture de mon frère*) and in phrases like *les vacances de Noël*.

Use *en* to talk about going to or being in feminine countries (*en France, en Italie*), to refer to time (*en juin, en 2012, en une heure*) and in phrases like *en bateau, en anglais, en coton* and *en bonne santé*.

Some prepositions refer to position: *devant, derrière, sous, sur, entre*.

Other prepositions include *après, avant, avec, chez, depuis, par, pendant, pour, sans, vers*.

(6) Give the correct preposition for each phrase: *Tu habites ... quelle distance de Nantes? Les vêtements sont-ils ... bonne condition? Il travaille à la banque ... deux ans. Vous lui avez parlé ... son avenir? J'ai passé la soirée ... Marion.*

6 Pronouns

6.1 Subject, direct and indirect object pronouns

Subject	Direct object	Indirect object
je	*me*	*me*
tu	*te*	*te*
il	*le*	*lui*
elle	*la*	*lui*
nous	*nous*	*nous*
vous	*vous*	*vous*
ils	*les*	*leur*
elles	*les*	*leur*

Use subject pronouns to replace a noun which is the subject of the verb.
Je ne comprends pas.

Use direct object pronouns if the noun replaced is the object of the verb.
*Je ne **te** comprends pas.*

Use indirect object pronouns to convey the idea of English prepositions such as 'to' or 'for'.
*Tu **lui** as donné le cadeau?*
Did you give the present to him?

6.2 Emphatic pronouns

The emphatic pronouns are *moi, toi, lui, elle, nous, vous, eux, elles*.
They are used for a number of reasons, including emphasis (***Moi,** je ne te crois pas*), after prepositions (*Tu y vas avec **eux**?*), after *c'est* and *ce sont* (*Ce sont **elles** qui n'ont plus d'argent!*), as a one word answer to a question (*Qui? **Lui**?*) and in comparisons (*Tu es plus riche que **nous**!*)

6.3 Reflexive pronouns.

The reflexive pronouns *me, te, se, nous, vous, se* are used to form reflexive verbs: *je me lève, elle se dépêche, nous nous brossons les dents, ils se contentent de ...*

(7) **Translate into French: Do you see it? Will she write to him? Are they going without us? We are not enjoying ourselves.**

(8) **Make up four sentences, each using one of these pronouns**: *il, le, lui, se.*

6.4 *y* and *en*

The pronoun *y* replaces the preposition *à*, used either with a noun (*Tu vas au parc? Oui, j'**y** vais.*) or with a verb (*Tu penses à ton voyage? Oui, j'**y** pense tout le temps.*).

The pronoun *en* replaces *du, de la* or *des* after a noun (*Vous avez du papier? Oui, j'**en** ai.*) or it replaces *de* in a verbal construction such as *discuter de:* (*Notez vos idées. Nous **en** discuterons.*).

6.5 Position of pronouns

Object pronouns come before the verb, or in a compound tense, before the part of *avoir* or *être*.
*Je **les** aime.*
*Je ne **les** ai pas vus.*
If there are two verbs, the object pronoun comes before the infinitive.
*Je vais **en** prendre un.*
*Vous ne pouvez pas **y** aller!*

When there are several object pronouns in the same sentence, they come in this order:

me				
te	le	lui		
se	la	leur	y	en
nous	les			
vous				

Examples
*Tu **le lui** a déjà donné?*
*Vous pouvez **me** l'envoyer demain?*
*Des bonbons? Il n'y **en** a plus!*

(9) Translate into French: She rings us every night. They write to him every week. I have already told him that. We will give it to you. Can you repeat it for me?

6.6 Relative pronouns

qui	who, which, that
que	who, which, that
où	where, when
dont	whose, of whom, of which

Use *qui* when the noun to be replaced is the subject of the verb.
*J'ai un frère **qui** s'appelle Ahmed.*

Use *que* when the noun to be replaced is the object of the verb.
*J'ai un frère **que** j'aime beaucoup.*

Use *où* to mean 'where' or 'when'.
*C'est là **où** j'habite.*
*C'était le jour **où** je suis arrivé.*

Use *dont* to mean 'of whom' or 'whose'.
*C'est le prof **dont** je t'ai parlé.*
*Le directeur, **dont** le bureau est au fond du couloir, n'est jamais là.*

(10) Which relative pronoun is needed for each gap? *C'est celui ... la femme est directrice? C'est le stylo ... tu cherches? Avec ... allez·vous en vacances? C'est un film ... j'ai beaucoup apprécié. Je lui ai montré le bureau ... je travaille.*

6.7 Possessive pronouns

	m.	f.	m. plural	f. plural
mine	*le mien*	*la mienne*	*les miens*	*les miennes*
yours	*le tien*	*la tienne*	*les tiens*	*les tiennes*
his/hers	*le sien*	*la sienne*	*les siens*	*les siennes*
ours	*le nôtre*	*la nôtre*	*les nôtres*	*les nôtres*
yours	*le vôtre*	*la vôtre*	*les vôtres*	*les vôtres*
theirs	*le leur*	*la leur*	*les leurs*	*les leurs*

*J'aime bien tes parents. **Les miens** m'énervent.*
*Je ne m'entends pas bien avec ma sœur, mais je m'entends bien avec **la tienne**.*

6.8 Demonstrative pronouns

Use these to say 'the one(s) which'.

	singular	**plural**
masculine	*celui*	*ceux*
feminine	*celle*	*celles*

*J'aime bien mon pull, mais je préfère **celui** de Paul.*
*Je m'occupe des jeunes enfants, **ceux** qui ont moins de cinq ans.*

11 **Decide on the correct possessive pronoun or demonstrative pronoun for each gap:** *Quelle robe préfères-tu? ... avec la ceinture? Il aime bien mon ordinateur, mais il a des difficultés avec ...* **(his).** *Vos idées ne sont pas mauvaises, mais ...* **(ours)** *sont meilleures! Lequel des deux? ... aux cheveux blonds?*

7 Verbs

7.1 The infinitive

The infinitive is the unconjugated form of the verb: *parler* – to speak, *devoir* – to have to, *vendre* – to sell.
Infinitives are used in several ways:

- as nouns: ***travailler**, quelle horreur!*
- in instructions: ***mettre** à four chaud.*
- as the second verb in a clause: *on doit **passer** un examen; je vais **voir** le dentiste tous les six mois; il faut **faire** un effort.*
- after the prepositions *à* and *de*: *il se met à **pleuvoir** ; qu'est-ce que tu as décidé de **faire**?*
- after *pour, sans* and *avant de*: *on ne peut pas progresser sans connaître la grammaire; prenez votre temps avant de **répondre**.*

The past infinitive is used to say 'after having done' something and is based on the perfect tense using *avoir* or *être*.
*Après **avoir mangé**, il est parti.*
*Après **être rentrées**, mes sœurs ont bu un café.*

12 **Translate into French:** He hates revising. After having finished, I left. Do you want to leave now? After having arrived, they phoned us.

7.2 The present tense

Use the present tense to say what someone does or is doing. It can also be used to describe events in the very near future.

Regular verbs

-er verbs: *aimer: j'aime, tu aimes, il/elle aime, nous aimons, vous aimez, ils/elles aiment*

-ir verbs: *choisir: je choisis, tu choisis, il/elle choisit, nous choisissons, vous choisissez, ils/elles choisissent*

-re verbs: *vendre: je vends, tu vends, il/elle vend, nous vendons, vous vendez, ils vendent*

Irregular verbs: learn these by heart.

(13) **Translate into French: Are you coming?** *(tu)* **They take. We go. He finishes. They (fem.) are waiting. I can. She sees. You write** *(vous)*.

7.3 The perfect tense

Use the perfect tense to describe completed actions which happened in the past. Use it in conversations, letters and informal narratives.

The perfect tense is made up of two parts: the auxiliary verb (part of *avoir* or *être*) and the past participle.
Past participles of regular verbs follow this pattern:

-er verbs : *aimer: aimé*

-ir verbs : *choisir: choisi*

-re verbs : *vendre: vendu*

Learn the past participles of the main irregular verbs – see the verb table again.

Example verbs which take *avoir: j'ai fini, ils ont acheté, vous avez mis, nous avons fait*.

The main verbs which take *être* are *arriver/partir, entrer/sortir, aller/venir, monter/descendre, tomber/rester* and *naître/mourir*. Verbs derived from these 12 also take *être*, e.g. *rentrer, revenir, devenir*. All reflexive verbs also take *être*.

Remember that agreement is needed on the past participles of verbs which take *être*. Add -*e* (feminine), -*s* (plural) or -*es* (feminine plural).

Example verbs which take *être: je suis allé* (masculine), *nous sommes devenues* (feminine plural), *ils se sont levés* (masculine plural), *tu es parti?* (masculine).

One last thing to remember: if a verb which takes *avoir* is used with a direct object which comes before the verb, then agreement with the direct object – not the subject –will be needed:
Où est la veste que Marc a achetée? Je ne l'ai pas vue.

(14) **Write these verbs out in the perfect tense:**
je/faire, ils/prendre, nous/aller, elle/se laver, tu/mettre, il/parler, vous/rentrer, elles/boire

7.4 The imperfect tense

The imperfect tense is used to describe what things were like, to say what was happening, to describe things which happened frequently or, after *si*, to suggest doing something.

J'allais tous les jours à la plage.
Il regardait la télévision quand le téléphone a sonné.
Si on dansait?

Form the imperfect using the *nous* form of the present tense (minus the -*ons*), with the endings -*ais, -ais, -ait, -ions, -iez, -aient*.
regarder → nous regardons → je regardais
faire → nous faisons → vous faisiez
The only exception is *être*: *j'étais, tu étais*, etc.

(15) **Give the imperfect form for these verbs:**
je/lire tu/finir elle/boire nous/travailler vous/aller ils/faire

7.5 The pluperfect tense

Use the pluperfect to say what **had** happened.
Form it using the auxiliary verbs *avoir* and *être* in the imperfect:
Le prof m'a dit qu'il m'avait donné une bonne note.
Je suis arrivé trop tard et mes copains étaient déjà partis.

(16) **Think of an ending in the pluperfect tense for each sentence:**
J'ai fait une erreur parce que ... Ils n'ont pas réussi aux examens parce qu'ils ... Nous étions en retard parce que ...

7.6 The future tense

You can use the present tense to refer to something fairly certain in the near future.
Je vais à l'université de Leeds l'année prochaine.
To talk about something which is sure to happen in the near future you can use *je vais* + infinitive:
Je vais regarder le film ce soir.
To talk about future plans which are not certain, use *je voudrais ...*, *j'aimerais ...*, or *je pense ...* plus an infinitive:
Je pense rentrer dans l'armée de l'air.
Je voudrais faire le tour du monde.

Use the future tense to describe other less certain or more distant events, or in *si* clauses.
Quand il sera à la retraite, il ira habiter en France.
Si j'ai mon bac, j'irai à l'université.
Remember you also need the future tense to describe 'what will happen when ...', unlike English where the present tense is used.
Quand ils arriveront, on parlera de tout ça.
Dites-lui de me contacter dès qu'il aura ses résultats.

To form the future of regular verbs, use the infinitive (minus the *-e* on *-re* verbs) and the endings *-ai, -as, -a, -ons, -ez, -ont*: **je regarderai, tu attendras, ils** ne **partiront** pas.

Learn the future stem of irregular verbs, then add the same endings: **je ferai, elle viendra, vous serez.**

(17) Give the future form of each verb: *je/devoir   tu/vendre   il/se lever nous/savoir   vous/voir   ils/choisir*

7.7 The future perfect tense

This is used to explain what **will have happened**.
It is made up of *avoir* or *être* in the future tense and a past participle.
*Je **serai partie** quand il arrivera.*

(18) Translate into French: **What are you doing tonight? Are you thinking of going to the theatre? Will you go on holiday again? When you are twenty, you will be at university. Will you have received the letter?**

7.8 The conditional tense

This is used to explain what **would** happen.
It is formed using the future stem of the verb (regular or irregular) and the endings
 -ais, -ais, -ait, -ions, -iez, -aient.
 *Elle **devrait** faire des études à l'étranger.*
 *Si j'avais une voiture, **j'irais** chercher les enfants.*

(19) Write out what each person would do if they won the lottery: *je, tu, il, nous, vous, ils.*

7.9 The imperative

This is used to give orders, instructions or advice.
To form it, leave out the subject pronouns *tu* or *vous* (and leave the final *-s* off the *tu* form of *-er* verbs).
 Va voir!
 Viens ici!
 Essayez de lui parler.

The few irregulars include *avoir* (*aie, ayez*), *être* (*sois, soyez*) and *savoir* (*sache, sachez*).
For negative imperatives, use *ne* and *pas*: *ne fais pas ça!*

(20) Write out three requests to a small child you are looking after and three more to your boss at work.

7.10 The subjunctive

Use the subjunctive:
- after verbs expressing doubt: *je ne pense pas que ...*
- after verbs expressing an emotion or desire: *je suis contente que, je voudrais que ...*
- after impersonal verbs such as *il faut que ...*
- after certain conjunctions including *avant que, bien que, afin que, pour que, à condition que ...*
- after a relative pronoun when it follows a superlative or negative: *c'est la plus jolie region que je **connaisse**; je n'ai rien qui **puisse** t'aider.*

To form the present subjunctive, take the *ils* form of the present tense, leave off the final *·ent* and add the endings *-e, -es, -e, -ions, -iez, -ent*. Learn the common irregular forms such as *j'aille (aller), j'aie (avoir), je sois (être) je fasse (faire)* and *je puisse (pouvoir).*

(21) **Write a suitable verb in the subjunctive in each gap.** *Je ne suis pas sûr que ce ... réaliste. Elle voudrait que je ... à l'heure. Pour arriver ce soir, il faut que vous ... tout de suite.*

8 The passive

A sentence is in the passive when its subject has the action done to it instead of doing it.
To form the passive use *être* and a past participle agreeing with the subject of the verb: *les enfants en difficulté **sont aidés** par notre association.*
The passive can be used in other tenses: *seront aidés, ont été aidés, étaient aidés, avaient été aidés.*

(22) **Translate into French: This will be done. That wasn't finished. The letter hasn't been written.**

9 The negative

To make a verb negative, use *ne* and *pas*: *Ce **n'est pas** vrai.*
Before an infinitive, use *ne* and *pas* together: *je préfère **ne pas** y aller.*
Other negative constructions include ***ne ... jamais, ne ... plus, ne ... personne, ne ... que** and **ne ... rien.***
*Il **ne** faut **jamais** faire cela.*
*Je **n'**ai **rien** fait.*

(23) **Write five negative sentences about the media, using a different negative in each one.**

Pronunciation

Listening to plenty of French helps improve your pronunciation. So will working through specific exercises like the ones below. It can be tricky to correct bad habits, so if a teacher or assistant gives you advice on the way you pronounce a particular sound, make a written note of it and refer back to it occasionally to make sure you really have remembered it.

1 Les voyelles: a, è, é, i, o, u

Écoutez et répétez le son de six voyelles françaises.

a	habite, déjà, femme	a à e + mm
è	frère, fête, treize, aide, aîné vaisselle, ancienne princesse, baguette	è ê ei ai aî e + ll, e + nn, e + ss, e + tt
é	télévision, lycée, aller, pied, chez, mes effet, essayer	é ée er ed ez es e + ff, e + ss
i	ici, dîner, lycée, égoïste, prix, nuit	i î y ix it ï
o	chose, faux, beaucoup, bientôt	o au eau ô
u	musique sûr	u û

2 Les sons 'é', 'ais', 'è', 'ère', 'er'

Écoutez et répétez ces différents sons français.

e –   liberté, réussir, métier, école, indépendant
ai, ais – faire, aide, maison, parfait, vraiment
è –   bibliothèque, système, succède, être, crêpes
ère –   chère, père, mère, frère, colère
er –   aller, donner, changer, essayer, expliquer

3 Les sons 'in', 'an', 'on', 'un', 'en'

Écoutez et répétez ces différents sons français.

in – intéressant, international, matin, important, impossible, pain, plein, peinture
an – vacances, océan, restaurant, pendant, blanc, chambre
on – rencontrer, dont, combien, nombreux, complet
un – un, chacun, brun, opportun
en – moment, enrichissant, alimentation, empêcher, temps

4 Les liaisons

Lisez ces phrases à haute voix en faisant attention aux liaisons. Écoutez pour vérifier.

1 De nombreux accidents de la route sont tout à fait évitables.
2 Il y a un écart de huit ans entre l'espérance de vie des hommes et des femmes.

3 À trois heures dix, six voitures entraient en collision sur l'autoroute du soleil.
4 À Paris, il y a parfois quatre ou cinq pharmacies les unes après les autres.

5 L'intonation: questions et exclamations

L'intonation: la voix monte ou descend. Écoutez et répétez.

1 Les questions simples: Tu vas au lycée? Aimez-vous votre lycée?
Les questions avec un interrogatif: À quel âge es-tu allé au lycée?
Que pensez-vous du lycée?
Les questions – énumération: Tu es pour ou contre? Tu envisages des études longues, des études courtes ou la vie active?
Les exclamations: Alors là, catastrophe! Moi, j'adore mon lycée!

Lisez tout haut, puis écoutez pour vérifier et répétez.

2 En quelle année es-tu entré en sixième? Tu es allé dans un lycée après?
Tu préfères les maths ou le français? Moi, je vais y arriver! Tu fais anglais, allemand ou italien? Je déteste ça!

6 Le 'r' français

En français, il faut rouler le 'r' un peu dans la gorge. Écoutez et répétez.

1 rouge, rhythme, rollers, repas, relax, racontez
2 arrêtez! Je suis arrivé.
3 c'est fermé, moderne, le chef du personnel
4 j'ai travaillé, j'ai préparé, j'ai créé
5 Robert m'a raconté qu'elle avait regardé les répétitions.
6 Valérie rentre en France au printemps.

7 Les consonnes que l'on ne prononce pas

En général, les consonnes s, t, d, p, x placées à la fin d'un mot ne se prononcent pas. Écoutez et lisez, puis répétez.

1 s – accès excès Paris   s – les médias préférées des jeunes
   t – le débat, le droit de tout savoir   d, x – Le Canard Enchaîné, La Voix
                                                          du Nord
   p – Il y a beaucoup trop de publicité à la télé.

Cependant, des consonnes se prononcent lorsqu'elles sont suivies d'un 'e'. Écoutez et lisez, puis répétez.

2 les Français   la radio française   il est mort   elle est morte
   il fait chaud   des températures chaudes

8 'o' ouvert – o fermé – ou

Écoutez et répétez les trois sons:

1 'o' ouvert – solaire, bénévole, solution
   'o' fermé – beau, frigo, eau
   'ou' – souvent, trouver, groupe

Classez ces mots en trois listes selon le son souligné, puis vérifiez en écoutant.

sauvage nocif pelouse douche oiseau toxique les Vosges nouvelle bloc-notes seau politique renouvelable

2   'o' ouvert – nocif, toxique, bloc-notes, politique
'o' fermé – sauvage, oiseau, les Vosges, seau
'ou' – pelouse, douche, nouvelle, renouvelable

Lisez les phrases à haute voix. Écoutez pour vérifier et répétez.

3   Tu es populaire avec tes co-équipiers? Il nous faut une nouvelle politique sur la technologie. L'opération de communication a été un grand succès. Les bénévoles espèrent sauver les oiseaux des produits toxiques.

9 Prononciation de 'in' et 'im'

in-/im- + consonne sauf n et m   im-/im- + voyelle, n, m

Écoutez et répétez.

intégration, interview, imbécile, important
inadmissible, innocent, image, immigré

10 L'accent du mot

L'accent principal du mot français tombe sur la dernière syllabe. Lisez les phrases. Écoutez pour vérifier et répétez.

C'est inexact de dire que l'immigration implique l'insécurité. L'inegalité des chances et l'injustice sont indéniables. Il est acceptable et inexcusable qu'un pays industrialisé soit incapable d'intégrer des immigrés.

11 Les sons 'ille', 'gn'

Écoutez et répétez.

1   ville, tranquille, mille, million, millier
2   fille, famille, billet, gentille, habillement
3   travailler, bouteille, accueille, ailleurs, j'aille, je veuille, grenouille, rataouille
4   Allemagne, Espagne, Bretagne, Avignon, signer, ignore, oignon, enseignement
5   Des milliers de filles vivent à Avignon.
On mange une bouillabaisse ou des cuisses de grenouille? Moi, je préfère de l'agneau avec une sauce à l'oignon. Des gentilles filles de la ville de Marseille font la ratatouille et la bouillabaisse à merveille.

12 Trois voyelles: 'a', 'u', 'o'

Écoutez et répétez.

1   Louisiane, Guyane, platane, banane
2   une, lune, dune, prune
3   couverture, voiture, écriture
4   francophone, anglophone, téléphone

It's always a good idea to do something with the words you are trying to learn, rather than just looking at them. Here are some ideas to try out.

▶ Group the words you are learning, for example by writing lists of synonyms or opposites.

la victoire / la défaite, perdre / gagner, en forme / malsain, sédentaire / actif ...

▶ List words in 'families'. If you have noted the verb, can you find a noun or an adjective which is related to it?

comprendre	*la compréhension*	*compréhensif*
exiger	*l'exigence*	*exigeant*
mentir	*le menteur/la mensonge*	*menteur*

▶ Write out a set of words in jumbled form, then come back a few days later and try to unjumble them. Can you sort out these eight words on the topic of smoking and drinking?

m r u f e	*g s t b a i e a m*	*l l o o h c*
s s r v e e i	*e i i s u l b n*	*p l o o c p a*
o o m u n p s	*c c n r e a*	

(fumer, tabagisme, alcool, ivresse, nuisible, alcopop, poumons, cancer)

▶ Write out words with gaps for missing letters or sentences with key words gapped and then try to fill them in later. Complete these words which are all linked to newspapers.

he•doma•aire	*•en•uel*	*pu•lici•é,*
qu•ti•ien	*le•teur*	*re•orta•e*

▶ Choose, say, three words from a particular topic area and challenge yourself to say or write a sentence including them all. Try the following:

le divorce – le partenaire – monoparental
équilibré – poids – la forme
le métier – le chômage – la rémunération

▶ Fill as many words from one topic as you can into a word square, then solve it a week later when you have forgotten where you put them.

Vocabulary

Expressions-clés

Unit 0: time phrases

13 ensuite/puis	*then*
1 suite à cela	*following that*
2 finalement	*finally*
tout d'abord	*first of all*
3 en ce moment/actuellement	*at the moment, currently*
4 toutes les semaines/tous les jours	*every week/every day*
14 une fois par mois	*once a month*
souvent/régulièrement	*often/regularly*
5 de temps en temps	*from time to time*
pendant les vacances	*during the holidays*
15 rarement	*rarely*

Unit 1: expressing likes and dislikes

6 J'aime bien/J'aime surtout ...	*I like/I like above all ...*
7 Je m'intéresse à ...	*I'm interested in ...*
8 J'ai horreur de ...	*I loathe ...*

Unit 1: expressing opinions

9 Je pense que/Je trouve que/Je crois que ...	*I think that ...*
Je suis d'avis que ...	*I'm of the opinion that ...*
10 Je suis (tout à fait) d'accord	*I (completely) agree*
11 Je suis (totalement) pour ...	*I'm (totally) in favour of ...*
12 Je suis absolument contre ...	*I'm completely against ...*

Unit 2: numbers and statistics

la moitié (de)/plus de la moitié (de)	*half (of)/more than half (of)*
un tiers (de)	*a third (of)*
un quart (de)	*a quarter (of)*
environ	*about*
presque	*nearly*
un sur dix	*one in ten*
trois virgule cinq	*three point five*
en moyenne	*on average*
selon un sondage récent/une enquête récente	*according to a recent survey*
selon les statistiques	*according to statistics*
il semble que	*it seems that*
il est évident que	*it's obvious that*
en plus	*in addition, what's more*
par contre	*on the other hand*

Unit 5: talking about the future

Ce week-end, je fais ...	*This weekend, I'm doing ...*
Je vais + infinitif	*I'm going to ...Je voudrais/*

J'aimerais + infinitif	*I'd like to …*
J'ai envie de + infinitif	*I'd like to …*
J'espère + infinitif	*I hope to …*
Je compte/Je pense + infinitif	*I'm thinking of …*
J'ai l'intention de/J'envisage de + infinitif	*I'm intending to …*

Unit 6: expressing rights and duties

Je peux + infinitif	*I can …*
J'ai le droit de + infinitif	*I'm allowed to …*
On me permet de + infinitif	*I'm allowed to …*
On ne me permet pas de + infinitif	*I'm not allowed to …*
Je dois + infinitif	*I have to …*
Je suis obligé(e) de + infinitif	*I have to …*

Unit 6: impersonal verbs

Il faut + infinitif	*You have to, you must …*
Il ne faut pas + infinitif	*You don't have to, you mustn't …*
Il s'agit de + noun or infinitif	*It's a question of …*
Il vaut mieux + infinitif	*It's better to …*
Il convient de + infinitif	*It's appropriate to …*

Unit 6: giving advice

Moi, je + conditionnel	*I'd …*
Tu pourrais + infinitif	*You could …*
Tu devrais + infinitif	*You ought to …*
Si j'étais toi/vous, je + conditionnel	*If I were you, I'd …*
À ta/votre place, je + conditionnel	*If I were you, I'd …*
Pourquoi est-ce que tu ne …?	*Why don't you … ?*
As-tu déjà essayé de + infinitif	*Have you tried … ?*

Unit 8: should have

J'aurais dû + infinitive	*I should have …*
J'aurais pu + infinitive	*I could have …*

Unit 8: stating your argument

Moi, je trouve que …	*I think that …*
Pour moi, il est important de …	*For me, it's important to …*
Je suis convaincu(e) que …	*I'm convinced that …*
Je crois personnellement que …	*Personally, I think that …*
Je ne suis pas du tout d'accord parce que …	*I really don't agree that …*
Au contraire, moi je pense que …	*On the contrary, I think that …*
En revanche, je crois plutôt que …	*On the other hand, I think that …*
Oui, mais il ne faut pas oublier que …	*Yes, but you mustn't forget that …*

Vocabulary

Unit 9: phrases which take the subjunctive

il n'est pas sûr que/ce n'est pas certain que	*it's not certain that*
il est essentiel que	*it's essential that*
il est nécessaire que/il faut que	*it's necessary that*
il est possible que	*it's possible that*
avoir peur que	*to fear that*
vouloir/ne pas vouloir que	*to want/not to want that*
refuser que	*to refuse that*
c'est dommage que	*it's a pity that*
exiger que	*to demand that*

Topic vocabulary

Unit 1

le lecteur/l'auditeur/le spectateur	*the reader/listener/viewer*
le feuilleton/le journal télévisé	*the soap/the TV news*
les informations/les actualités	*the news*
se tenir au courant	*to keep up (with current events)*
être bien informé(e)	*to be well informed*
l'émission/la chaîne	*the programme/the channel*
diffuser	*to broadcast*
la presse écrite/la presse gratuite	*the written press/the free press*
le quotidien/l'hebdomadaire/le mensuel	*the daily/weekly/monthly*
la télé-réalité	*reality TV*
le reportage/le documentaire	*the report/the documentary*
aborder un sujet important	*to tackle an important subject*
une bonne/mauvaise influence	*a good/bad influence*
l'inactivité/la passivité	*inactivity/passivity*
la publicité	*advertising*
le message caché	*the hidden message*
le sondage	*the survey*
la concurrence	*the competition*
renforcer des stéréotypes	*to reinforce stereotypes*
donner de bons conseils	*to give good advice*

Unit 2

utiliser/un utilisateur	*a user*
le chat/chatter	*chat/to chat (online)*
télécharger/le téléchargement	*to download/a download*
la messagerie instantanée	*instant messaging*
le logiciel	*software*
le lecteur MP3	*an MP3 player*
un ordinateur portable	*a laptop*

un casque audio	*headphones*
une clé USB	*a USB stick*
un appareil-photo numérique	*a digital camera*
partager des fichiers	*to share files*
bloguer/un blogueur	*to blog/a blogger*
s'exprimer (sans tabous)	*to express oneself (freely)*
en ligne	*online*
un internaute/l'internet	*an internet user/the internet*
fiable/la fiabilité	*reliable/reliability*
l'accès sans fil	*wireless access*
éteindre	*to switch off*
joindre quelqu'un	*to get in touch with someone*
un abonné/un abonnement	*a subscriber/a subscription*
un SMS/envoyer un SMS	*a text/to send a text*
naviguer sur le Web/la Toile/le Net	*to surf the web*
la messagerie électronique	*e-mail*
un moteur de recherche	*a search engine*
le consommateur	*the consumer*
s'informer sur	*to find out about*
commander (au cybermarché)	*to order (on the web)*
le risque de vol/de fraude	*the risk of theft/fraud*
inciter à la violence/au racisme	*to incite violence/racism*
être connecté	*to be connected (to the internet)*

Unit 3

un acteur/une actrice	*actor/actress*
un rédacteur/une rédactrice	*editor*
un(e) cinéaste	*film-maker*
un auteur	*author*
un chanteur/une chanteuse	*singer*
un musicien/une musicienne	*musician*
un compositeur	*composer*
un artiste-peintre/sculpteur	*painter/sculptor*
un écrivain	*author*
un dramaturge	*playwright*
une œuvre	*a work (of art)*
un genre	*a type (of art)*
tourner/réaliser un film	*to make a film*
une animation	*a cartoon*
en noir et blanc/en couleur	*in black and white/in colour*
les effets spéciaux	*the special effects*
un film à gros budget	*a big budget film*
les sous-titres/doublé	*subtitles/dubbed*
le critique/la critique	*critic/film review*

Vocabulary

10	une séance	*a showing/screening*
11	un cinéphile	*a film fan*
	la Nouvelle Vague	*the new wave*
12	aborder des problèmes (sociaux)	*to tackle (social) problems*
13	connaître un succès fou	*to be very successful*
	la télévision à écran large/plat	*wide/flat screen tv*
14	la scène/le metteur en scène	*the stage/the director*
	un mime	*mime artist*
	un saltimbanque	*acrobat*
	un bateleur/jongleur	*juggler*
15	un prestidigitateur	*conjuror*

Unit 4

s'habiller/mettre	*to get dressed/to wear*
les vêtements/les habits	*clothes*
se maquiller	*to put on make up*
se faire percer/tatouer	*to get a piercing/tattoo*
un piercing/un tatouage	*a piercing/tattoo*
s'identifier à	*to identify with*
la tenue	*outfit*
la (grande) marque	*a (top) brand*
les moyens d'acheter	*the means to buy*
son apparence	*one's appearance*
conventionnel/bizarre	*conventional/strange*
susciter la curiosité des autres	*to arouse the curiosity of others*
épouser un homme riche	*to marry a rich man*
la vedette/la star	*star*
le compte bancaire	*bank account*
être corrompu par l'argent	*to be corrupted by money*
la richesse/la pauvreté	*wealth/poverty*
un modèle à suivre	*a model to follow*
une vie de luxe	*a life of luxury*
la culture de jeunesse	*youth culture*
le snobisme	*snobbery*
se différencier de (ses parents)	*to be different from (one's parents)*
exercer une influence sur ...	*to have an influence on ...*
les influences positives/négatives	*positive/negative influences*
lancer un défi à quelqu'un	*to challenge someone*
être sûr de soi	*to be sure of oneself*
les valeurs (établies)	*(established) values*
un style de vie marginal	*a non-mainstream way of life*
la liberté d'expression	*freedom of expression*

Unit 5

0	le parapente	*hang gliding*

le saut à l'élastique	*bungee jumping*
l'escrime	*fencing*
le tir	*shooting*
le sport individuel/d'équipe	*individual/team sport*
pratiquer un sport	*to do a sport*
se maintenir en forme	*to keep fit*
garder la ligne	*to keep your figure*
éviter le stress	*to avoid stress*
retrouver la forme après une maladie	*to get fit after an illness*
s'entraîner (pour un marathon)	*to train (for a marathon)*
la décontraction	*relaxation*
un débutant/un joueur experimenté	*a beginner/inexperienced player*
mener une vie sédentaire/active	*to lead a sedentary/active life*
un manque d'activité	*a lack of activity*
un bon état de santé	*a good state of health*
les risques de l'inactivité	*the risks of inactivity*
les os/les poumons/les artères	*bones/lungs/arteries*
les bienfaits du sport (sur le plan physique/mental)	*the benefits of health (on a physical/mental level)*
respirer	*to breathe*
lutter contre le surpoids	*to battle against overweight*
développer l'esprit d'équipe	*to develop team spirit*
la confiance en soi	*self confidence*
une médaille d'or	*a gold medal*
la blessure	*injury*
gagner/remporter décrocher une médaille	*to win a medal*
les championnats du monde	*world championships*
gagner/perdre	*to win/to lose*
tricher/se disputer	*to cheat/to argue*
la victoire/la défaite	*victory/defeat*
gagner le respect des autres	*to be respected by others*
l'adversaire/le co-équipier	*opponent/team-mate*
l'arbitre/les officiels/les spectateurs	*the referee/the officials/the spectators*
montrer du respect envers quelqu'un	*to have respect for someone*
le dopage	*drug-taking (in sport)*
le comportement	*behaviour*
rejeter la violence/le racisme	*to reject violence/racism*

Unit 6

boire un coup	*to have a drink*
la consommation d'alcool	*alcohol consumption*
le tabagisme	*smoking*
provoquer (un cancer)	*to cause (cancer)*

prendre le volant	to drive/get behind the wheel
les drogues licites/ilicites/dures	legal/illegal/hard drugs
nuisible/nuire à	damaging/to damag
les médicaments	medicine(s)
se droguer/utiliser	to take drugs/to use
se mettre à (la cocaïne)	to start taking (cocaine)
une dose/surdose (ou overdose)	a dose/overdose
dépendant de/entraîner une dépendance	addicted to/to cause an addiction
être accro à	addicted to
un centre de désintoxication	a detox centre
manger équilibré	to eat a balanced diet
grignoter	to snack, nibble
nourrissant	nourishing
opter pour	to opt for
limiter/éviter/se priver de	to limit/avoid/go without
un plat cuisiné	a ready meal
une recette simple/rapide/saine	a simple/quick/healthy recipe
plein de (sel/matières grasses)	full of (salt/fat)
des troubles alimentaires	eating disorders
l'anorexie/la boulimie	anorexia/bulimia
prendre plaisir aux repas	to enjoy meals
prendre/perdre du poids	to gain/lose weight
obèse/l'obésité	obese/obesity
mener une vie équilibrée	to lead a balanced life
prendre du temps pour soi	to take time for oneself
consulter un médecin	to consult a doctor
l'espérance de vie	life expectancy
prendre ses propres décisions	to make your own decisions

Unit 7

les grandes vacances/les vacances d'hiver	summer/winter holidays
le vacancier/la vacancière	holidaymaker
le retour à la nature	return to nature
faire une croisière	to do a cruise
l'accent sur le luxe	an accent on luxury
le camping sauvage	camping (in a field)
à la recherche de ...	in search of ...
l'hébergement	accommodation
bronzer	to sunbathe
s'allonger sur la plage	to lie on the beach
attraper un coup de soleil	to get sunstroke
une ambiance décontractée	a relaxed atmosphere
éviter le (moindre) stress	to avoid (any) stress

découvrir (une région)	*to discover (a region)*
faire une randonnée (en montagne)	*to walk (in the mountains)*
faire la grasse matinée	*to have a lie-in*
l'écotourisme	*ecotourism*
respecter l'environnement	*to respect the environment*
se rapprocher de la nature	*to get close to nature*
contribuer à l'économie locale	*to contribute to the local economy*
limiter/trier ses déchets	*to limit/separate rubbish*
économiser l'eau/l'energie	*to economise on water/energy*
limiter son impact sur l'environnement	*to limit one's impact on the environment*
un nombre préoccupant de visiteurs	*a worrying number of visitors*
un climat agréable	*a pleasant climate*
la circulation routière	*traffic*
un embouteillage/un bouchon	*a traffic jam*
la paralysie des centre-villes	*the paralysis of town centres*
les accidents de la route (mortels)	*(fatal) road accidents*

Unit 8

en famille/entre amis	*in the family/among friends*
une famille nombreuse/monoparentale	*large/single parent family*
des parents célibataires	*single parents*
une fête de famille	*a family celebration*
(provoquer) une dispute	*(to cause) an argument*
se disputer avec	*to argue with*
se calmer	*to calm down*
faire des choses ensemble	*to do things together*
exigeant	*demanding*
respecter les goûts de quelqu'un	*to respect someone's tastes*
s'entendre (bien) avec	*to get on well with*
avoir de bonnes relations avec	*to have a good relationship with*
rester en contact avec	*to stay in contact with*
rompre avec	*to break up with*
résoudre des conflits/un problème	*to resolve conflicts/a problem*
éviter le conflit	*to avoid conflict*
savoir écouter	*to be a good listener*
être là pour quelqu'un	*to be there for someone*
le mariage/se marier avec	*marriage/to marry*
le divorce/divorcer/se séparer	*divorce/to divorce/to separate*
le déclin du mariage	*the decline of marriage*
le taux de divorce/de naissance	*the divorce/birth rate*
vivre en concubinage/vivre avec	*to live with (someone)*
être un bon père/une bonne mère	*to be a good father/mother*
la maltraitance	*ill-treatment/abuse*
(rester) célibataire	*(to stay) single*

un(e) partenaire (pour la vie)	*a partner (for life)*
(tenir) une promesse	*(to keep) a promise*
fidèle/la fidélité	*faithful/faithfulness*

Unit 9

passer un examen	*to take an exam*
réussir/être reçu(e) à un examen	*to pass an exam*
le taux de réussite (du bac)	*the pass rate (of the 'bac')*
les conseils d'orientation	*careers advice*
l'école maternelle	*nursery school*
une épreuve (obligatoire)	*a (compulsory) test*
le système éducatif	*the education system*
en seconde	*in Year 11*
en première	*in the AS/Lower 6th year*
en terminale	*in the A2/Upper 6th year*
stressant/stressé	*stressful/stressed*
le stress/l'angoisse	*stress*
motivant	*motivating*
redoubler (une année scolaire)	*to retake (a school year)*
un programme charge	*a heavy timetable*
à la fac	*at university*
le soutien/manque de soutien	*support/lack of support*
l'incertitude de l'avenir	*uncertainty about the future*
un contrôle	*a test*
faire un apprentissage	*to do an apprenticeship*
décrocher/trouver un emploi	*to get a job*
être au chômage	*to be unemployed*
la formation professionnelle	*professional training*
le taux de chômage	*the unemployment rate*
la vie active	*working life*
le manque d'expérience	*lack of experience*
la formation en alternance	*sandwich training*
bien rémunéré	*well paid*
une position permanente/à plein temps	*a permanent/full time job*
un emploi temporaire	*a temporary job*
l'autonomie financière	*financial independence*
le RMI (revenu minimal d'insertion)	*the minimum wage*
un contrat à durée déterminée	*a fixed-term contract*
une lettre de motivation	*an application letter*

Page 15
a) B **b)** B **c)** A

Page 16
a, c, d, h

Page 17
(1) indépendant **(2)** bonnes **(3)** meilleur **(4)** devenir **(5)** droit
(6) refusent **(7)** liberté

Page 18
1a Ils ont des sponsors. **1b** S'ils veulent garder leurs sponsors, il est important qu'ils continuent de gagner. **2a** Les contrôles-surprise et les contrôles sanguins. **2b** Ils ont arrêté de sponsoriser les gens qui se dopent. **2c** Parce qu'ils voulaient suivre l'opinion publique.

Page 19
a L **b** B **c** L **d** F **e** B **f** F

Page 20
(a) to appear grown-up/to keep in contact with friends at all times.
(b) because of the health risks/because they are expensive and children might lose them. **(c)** a child who goes out alone can ring the parents if there is a problem/s/he will use the house telephone much less, which is useful if parents want to use it themselves or are expecting an important call.

Page 21
a Ils consomment des boissons gazeuses.
b Ils favorisent la perte de calcium dans l'urine.
c Ils boivent moins de lait et ils ne font pas assez d'activité physique.

Grammar

1 alcoolisme (m.), obésité (f.), niveau (m.), tolérance (f.), mariage (m.), certitude (f.),journaux, portables, prix (-), émissions, conflits.

2 ce travail, ces candidats, de l'effort, du tourisme, toutes les idées.

3 une émission intéressante, de bonnes idées, un livre fascinant, de la mauvaise publicité, une jeune actrice ambitieuse.

4 mon sport préféré, ses baskets, notre équipe, ton but, leur victoire.

5 elle comprend facilement; il est le meilleur footballeur; est-ce qu'elle parle aussi vite normalement? est-ce que les garçons sont plus sportifs que les filles?

6 Tu habites à quelle distance de Nantes? Les vêtements sont-ils en bonne condition? Il travaille à la banque depuis deux ans. Vous lui avez parlé de son avenir? J'ai passé la soirée chez Marion.

7 Tu le vois? Est-ce qu'elle lui écrira? Ils y vont sans nous? Nous ne nous amusons pas.

8 Your own answer.

9 Elle nous téléphone chaque soir. Ils lui écrivent toutes les semaines. Je le lui ai déjà dit. Nous vous le donnerons. Tu peux me le répéter?

10 C'est celui dont la femme est directrice? C'est le stylo que tu cherches? Avec qui allez-vous en vacances? C'est un film que j'ai beaucoup apprécié. Je lui ai montré le bureau où je travaille.

11 Quelle robe préfères-tu? Celle avec la ceinture? Il aime bien mon ordinateur, mais il a des difficultés avec le sien. Vos idées ne sont pas mauvaises, mais les nôtres sont meilleures! Lequel des deux? Celui aux cheveux blonds?

12 Il déteste réviser. Après avoir fini, je suis parti. Tu veux partir maintenant? Après être arrivés, ils nous ont téléphoné.

13 Tu viens? Ils prennent. Nous allons. Il finit. Elles attendent. Je peux. Elle voit. Vous écrivez.

14 j'ai fait, ils ont pris, nous sommes allés, elle s'est lavée, tu as mis, il a parlé, vous êtes rentrés, elles ont bu

15 je lisais, tu finissais, elle buvait, nous travaillions, vous alliez, ils faisaient

16 Your own answer.

17 je devrai, tu vendras, il se levera, nous saurons, vous verrez, ils choisiront

18 Qu'est-ce que tu vas faire ce soir? Tu penses à aller au théâtre?Tu iras encore en vacances? Quand tu auras vingt ans, tu seras à l'université. Auras-tu reçu la lettre?

19 Your own answer.   **20** Your own answer.

21 Je ne suis pas sûr que ce soit réaliste. Elle voudrait que j'arrive à l'heure. Pour arriver ce soir, il faut que vous partiez tout de suite.

22 Ce sera fait. Cela n'a pas été fini. La lettre n'a pas été écrite.

23 Your own answer.